D1067922

LES ÉDITIONS VILLE-MARIE INC.
3550, rue Rachel est
Montréal, Qué.
H1W 1A7
Tél. : (514) 526-5951
ISBN 2-89194-055-5

Dépôt légal, 4e trimestre 1982 — Ottawa & Québec

LA NAISSANCE DES ÉTOILES

UN CONTE DE SYLVIE ROBERGE BLANCHET

ILLUSTRÉ PAR KATHERINE SAPON

À Guillaume
François
Caroline,...

À celle qui me comprend si bien...
Katherine

ÉDITIONS VILLE-MARIE

Connais-tu l'histoire de Perline, la petite fille toute bleue ?

Non ? Alors je vais te la raconter, puisque c'est aussi l'histoire de la naissance des étoiles...

Il y a très longtemps, de l'autre côté du ciel, se trouvait un étrange pays où tout était bleu :

— les arbres
— les champs
— les souris
— et même les enfants...

Dans ce pays-là, les écoles n'avaient ni toit ni fenêtre afin que les oiseaux puissent y entrer et les papillons y jouer à cache-cache avec les enfants. Les gens étaient toujours très gais, car il ne pleuvait jamais. Le jour comme la nuit, seule la lune éclairait le ciel, toujours bleu et sans nuage.

Dans ce monde tout bleu vivait une curieuse petite fille. Ses longs cheveux volaient au vent comme des milliers de fils soyeux. On l'appelait Perline, car, lorsqu'elle riait, ses yeux scintillaient comme deux perles de rosée.

Souvent en regardant le ciel, Perline rêvait à l'existence d'une petite fente par laquelle elle découvrirait ce qui se cachait derrière cette toile immense. Comme elle aurait aimé pouvoir l'atteindre d'un bond prodigieux et y passer la tête!

Un jour qu'elle imaginait un moyen de réaliser son rêve, elle s'aperçut avec surprise que la lune lui souriait.

« Mais bien sûr voyons ! Pourquoi n'y ai-je pas songé plus tôt ? La lune est si haut perchée ! Elle doit bien voir ce qui se cache de l'autre côté du ciel ! », pensa la fillette.

Elle haussa donc la voix pour demander à la lune :

« Dis-moi, Lune, que vois-tu du haut de ton ciel ? »

Le bon sourire de la lune s'accentua davantage devant le petit visage anxieux levé vers elle. Elle semblait hésiter, mais finalement elle se décida à raconter à la fillette ce qu'elle apercevait de l'autre côté du ciel :

— les montagnes vertes
— les fleurs toutes blanches
— les gros fruits rouges
— les oiseaux aux plumages multicolores...

Incapable d'imaginer cet univers inconnu, Perline s'écria :

« Comme j'aimerais visiter ce monde de toutes les couleurs !

— Hélas !, soupira la lune, cela est défendu.

— Mais pourquoi donc ?, demanda Perline.

— Hélas ! », redit la lune. Et son sourire disparut tout à fait.

Son bon visage paraissait tellement triste que Perline se sentit elle aussi envahie par un chagrin infini. La voix de la lune se fit très douce pour parler à l'enfant :

« Il y a très longtemps de cela, le monde tout en bleu était lui aussi un monde tout en couleurs. À cette époque, je partageais le ciel avec mon ami, le soleil. Comme nous étions heureux tous les deux ! Mais voilà qu'un jour le soleil a laissé un de ses rayons s'échapper de l'autre côté du ciel, puis un autre, et encore un autre jusqu'à ce que la moitié de ses rayons se soient enfuis vers ce pays qu'on appelle la Terre. Alors, le roi de ton pays devint tellement furieux qu'il chassa le soleil en l'accusant de trahison. Le soleil s'en est allé de l'autre côté du ciel et depuis nous sommes à jamais séparés l'un de l'autre. Privées des rayons du soleil, les couleurs se sont effacées une à une. Les gens se sont peu à peu habitués à la clarté de mes rayons et ton pays est devenu entièrement bleu. »

La lune s'arrêta un instant en contemplant les grands yeux étonnés de Perline. Elle songea combien il serait agréable d'y voir se refléter l'arc-en-ciel du monde multicolore.

Perline vit alors un long rayon bleuté descendre jusqu'à elle en même temps que la lune lui chuchotait:

« Monte vite! Je t'emmène de l'autre côté du ciel! »

Perline ne se fit pas prier.

Et hop! La voilà qui court sur le rayon de lune!

En arrivant au sommet, elle était bien un peu essoufflée, mais elle traversa sans peine le croissant de lune et de l'autre côté, elle n'eut qu'à se laisser glisser jusqu'en bas!

La lune lui dit alors:

« Ce pouvoir qui m'est donné de t'emmener sur Terre est unique. Il disparaîtra dès que tu seras de retour ici. Souviens-toi que tout ce que tu verras aujourd'hui demeurera un secret entre toi et moi, car si un jour ton roi apprenait ce voyage sur Terre, je serais moi aussi chassée à jamais et ton pays ne connaîtrait plus la lumière. »

Perline frissonna en pensant à ce qu'il adviendrait de son pays s'il était totalement privé de lumière. La lune ajouta :

« Je reviendrai te chercher ce soir. »

Perline promit d'être fidèle au rendez-vous. Elle voulut remercier son amie, mais déjà la lune était disparue devant les premiers rayons du soleil qui s'étiraient dans le ciel.

« Quelle merveille ! », pensa Perline.

Et de joie, elle se mit à courir dans l'herbe verte en battant des mains. Jamais elle n'aurait pu imaginer autant de beautés ! Autour d'elle, il y avait des fleurs de toutes les couleurs, des oiseaux au plumage éclatant !

Sur une fleur, elle aperçut un énorme papillon jaune qui séchait ses ailes délicates.

« Tu viens jouer avec moi, joli papillon ? »
Mais le papillon, effrayé, s'envola si vite que Perline en fut tout étonnée.

Sur la branche d'un arbre, un bel oiseau sifflait.

« Tu veux m'apprendre ta chanson, joli petit oiseau ? »
Mais l'oiseau aussi s'envola et Perline en fut toute peinée.

Un peu plus loin, une abeille butinait.

« Me feras-tu goûter à ton miel, jolie petite abeille ? »
Affolée, l'abeille piqua le doigt de la petite fille avant de s'enfuir en bourdonnant. Perline eut envie de pleurer.

« Comme ce monde est différent !, songea-t-elle. Pourquoi refusent-ils tous de me parler ? »

À ce moment-là, elle entendit un air de flûte. Tout en suçant son doigt, Perline courut vers l'endroit d'où venait la musique. Elle vit alors le plus étrange petit garçon qu'elle avait jamais vu ! Ses cheveux étaient dorés comme le soleil. Par ailleurs, son visage, ses bras et ses jambes lui semblèrent tout pâles !

Perline hésitait à s'approcher, mais le petit garçon se leva et, de surprise, laissa tomber sa flûte.

Jamais encore il n'avait vu de cheveux de cette couleur et des yeux si bleus ! Quelle étrange petite fille !

« Qui es-tu ?, réussit-il à prononcer.

— Je m'appelle Perline et je viens du pays tout en bleu. »

Le petit garçon ouvrit de grands yeux étonnés. Il ne comprenait rien aux propos de Perline. D'une voix mal assurée, il lui dit :

« Je m'appelle Hugo et j'habite près d'ici. »

Les deux enfants se sourirent. Aussitôt Perline raconta à Hugo comment une abeille l'avait piquée.

« Tu as beaucoup de choses à connaître, petite fille toute en bleu. Ici les oiseaux, les abeilles et les papillons ne jouent pas avec les enfants, lui dit Hugo.

— Mais moi, je peux t'apprendre si tu le veux! », lui dit Perline.

Et Perline s'appliqua de son mieux à enseigner à Hugo le langage des oiseaux, des papillons et des abeilles. Puis ils coururent dans les champs et se roulèrent dans l'herbe en riant aux éclats. Hugo fit goûter à Perline de minuscules fruits rouges qu'elle trouva délicieux. Il y avait tant de parfums nouveaux à respirer! Toutes ces couleurs éblouissaient la petite fille et lui faisaient tourner la tête!

La journée passa très vite et, de découvertes en découvertes, les deux enfants apprirent à se connaître. Hugo montra à Perline le seul air de flûte qu'il connaissait. Finalement, il lui offrit le petit instrument en cadeau.

« Lorsque je serai de retour chez moi, je jouerai tous les soirs de pleine lune pour toi », promit Perline.

Lentement le soleil se couchait à l'horizon. Perline put enfin le contempler sans être éblouie. Elle songea à la lune qui vivait depuis si longtemps séparée de lui.

« Ne pars pas, soleil ! Reviens ! J'ai un message pour toi ! »

Cependant, le soleil était presque disparu à l'horizon. Perline courut vers lui pour attraper ses rayons et l'empêcher de disparaître tout à fait. Hélas ! l'horizon semblait de plus en plus lointain. Elle n'entendait pas la voix de son ami qui l'appelait :

« Perline ! Reviens ! Le soir descend, je dois rentrer à la maison ! Reviens vite ! »

De nombreux nuages envahissaient le ciel. Perline s'aperçut avec effroi qu'elle avait laissé Hugo loin derrière et qu'elle était maintenant toute seule.

« Hugo ! Hugo ! », cria-t-elle. Mais elle n'obtint pas de réponse.

Comme elle se sentait petite ! Elle s'assit au pied d'un arbre en serrant très fort la flûte entre ses mains. Tant pis ! Elle attendrait toute seule que la lune revienne la chercher. Toutefois le ciel était couvert de nuages si gros et si lourds qu'aucun rayon de lune ne pouvait les percer pour descendre sur terre.

Il faisait nuit depuis longtemps déjà. Perline se sentit abandonnée dans ce pays inconnu que la noirceur rendait de plus en plus terrifiant. Elle entendait toutes sortes de bruits étranges. Effrayée, elle se mit à pleurer.

Un léger battement d'ailes la fit sursauter.

« Qu'as-tu donc à pleurer, petite fille ? Serais-tu perdue ? »

Perline leva les yeux et vit un magnifique oiseau blanc qui la contemplait avec douceur.

« Je dois retourner dans mon pays, dit Perline, mais la lune ne peut pas venir me chercher à cause de ces nuages qui couvrent le ciel.

— S'il ne s'agit que de cela, console-toi vite, lui dit l'oiseau. Je peux voler au-dessus des nuages. Tu n'as qu'à monter sur mon dos et je t'emmènerai là-haut où tu pourras retrouver la lune. »

Perline s'empressa de grimper sur le dos du grand oiseau blanc. Dans un large battement d'ailes, ils s'élancèrent dans le ciel. Mais la petite fille continuait à pleurer en pensant à son ami de la Terre qu'elle quittait et qu'elle ne reverrait plus jamais. Comme elle comprenait le chagrin de la lune, elle aussi, séparée de son ami le soleil !

Ses larmes s'éparpillèrent dans le ciel et se transformèrent en milliers d'étoiles scintillantes.

Tout en bas, Hugo n'arrivait pas à dormir. Il contemplait le ciel obscur lorsque, tout à coup, il aperçut le grand oiseau blanc traversant les nuages avec Perline sur son dos.

Hugo se sentit tout triste. Ainsi donc Perline repartait sans même lui dire adieu ! À ce moment-là, les nuages commencèrent à se disperser et Hugo, émerveillé, vit apparaître les milliers d'étoiles qui scintillaient. Il comprit que Perline lui laissait un cadeau d'adieu.

Lorsque la lune surgit derrière les nuages dispersés, Hugo eut tout juste le temps d'apercevoir Perline qui courait dans la lumière avant de disparaître derrière le gros croissant.

À cet instant, il crut bien entendre une douce musique de flûte. Il sourit, consolé.

C'est depuis ce soir-là que les étoiles continuent à briller dans le ciel. Aussi, lorsque vient la pleine lune, si tu écoutes bien, tu entendras peut-être, toi aussi, un air de flûte. Alors pense à Perline qui joue pour son ami, quelque part de l'autre côté du ciel.

Bonne nuit !

IMPRIMERIE
L'ÉCLAIREUR
BEAUCEVILLE